Lieve Ben,

Stiekem toch de beste ☺ Dikke zoen! En veel plezier van het boek,

Suzanne

Lieve Ben,
Dat vind ik ook!!
Drie dikke zoenen,
Anne-marie

Voor
Jo, Ollie, Rufus, Ben,
Rob en Rosie

Tweede druk 2011
Copyright © Lucy Cousins 2010
Oorspronkelijke titel *I'm the Best*
verschenen bij Walker Books Ltd, Londen
Voor Nederland: Uitgeverij Leopold bv, Amsterdam 2010
Vertaling Studio Bos
Maisy ™ is een gedeponeerd handelsmerk van Walker Books Ltd., Londen
Het auteursrecht van Lucy Cousins als auteur/illustrator van dit boek is
door haar vastgelegd conform de Copyright, Design en Patents Act 1988
Handgeschreven tekst van Lucy Cousins
Gedrukt in China
Alle rechten voorbehouden
NUR 273 / ISBN 978 90 258 5607 6

Ik ben de beste

Lucy Cousins

Leopold / Amsterdam

Hallo,
ik ben Hond
en ik ben de beste

Dit zijn mijn vrienden
– Lieveheersbeestje,
Mol, Gans
en Ezel.

Ik hou
van hen, ze zijn
geweldig, maar
ik ben de beste.

Ik kan veel harder rennen dan Mol.

Ik heb gewonnen, ik ben de beste.

Ik kan veel beter graven
dan Gans.
            Ik heb gewonnen,

ik ben
de beste.

Ik ben veel groter dan
Lieveheersbeestje.

Ik heb
gewonnen,
ik ben
de beste.

Ik kan veel beter zwemmen dan Ezel. Ik heb gewonnen, ik ben de beste.

Ik ben overal
de beste in.

Ik ben een beetje verdrietig.

Ik kan veel grotere en diepere gaten graven dan jij, Hond. Dus ik heb gewonnen. Ik ben de beste.

En ik kan veel sneller
zwemmen dan jij, Hond.
Dus ik heb gewonnen.
Ik ben de beste.

En ik ben veel groter dan jij, Hond. Dus ik heb gewonnen. Ik ben de beste.

En ik kan
veel beter vliegen
dan jij, Hond.
Jij hebt niet
eens vleugels.
Dus ik heb gewonnen.
Ik ben de beste.

O jee.
Ik ben nergens
de beste in.

Ik ben overal slecht in.
Ik ben gewoon een opschepper.
Ik heb niet eens vleugels.
En ik ben gemeen
tegen mijn vriendjes.

Sorry, Lieveheersbeestje.
Sorry, Mol.
Sorry, Gans.
Sorry, Ezel.

Het geeft niet.
Jij bent onze
allerbeste vriend.
En jij hebt
de allerzachtste oren.
En we houden van je.

Hoera! ik heb
de allerzachtste
oren.
Dus ik ben tóch
de beste.